NOUVELLES Histoires drôles

73

Illustration de la couverture
Philippe Germain

EH Héritage jeunesse

Nouvelles Histoires drôles n° 73
Illustration de la couverture : Philippe Germain
Conception graphique de la couverture : Luc Boileau
© Les éditions Héritage inc. 2004
Tous droits réservés

Dépôts légaux : 3e trimestre 2004
Bibliothèque nationale du Québec
Bibliothèque nationale du Canada

ISBN : 2-7625-2208-0
Imprimé au Canada

Les éditions Héritage inc.
300, rue Arran
Saint-Lambert (Québec) J4R 1K5
Téléphone : (514) 875-0327
Télécopieur : (450) 672-5448
Courriel : info@editionsheritage.com

*À tous ceux et celles
qui aiment collectionner,
écouter et raconter des
blagues.*

Un cannibale arrive en retard au restaurant pour un souper avec des amis :

— Est-ce que je suis trop en tard pour le repas ?

— Hé oui ! Il ne reste plus personne à manger !

●

— Sais-tu dans quel métier on retrouve le plus de gens méchants ?

— Non.

— Chez les cuisiniers.

— Pourquoi penses-tu ça ?

— Parce qu'ils battent les œufs et qu'ils fouettent la crème !

●

Un voleur entre dans un casse-croûte.

— Haut les mains ! C'est un hold-up ! Donnez-moi tout ce qu'il y a dans la caisse !

— C'est pour emporter ? demande la caissière.

●

Qui est l'aumônier des cuisiniers?

— L'abbé Chamel.

●

Dans un petit café:

— Bonjour, Monsieur, dit la serveuse, que désirez-vous?

— Je voudrais une soupe, pas trop chaude, des légumes, pas trop cuits, une tranche de jambon, pas trop salé, et un petit café, pas trop fort.

— Et avec ça, aimeriez-vous un petit verre d'eau, pas trop mouillée?

●

À la cafétéria:

— Qu'est-ce que vous avez comme choix, aujourd'hui?

— Il y a des spaghettis.

— Mais où est le choix là-dedans?

— Tu as le choix d'en prendre ou de ne pas en prendre!

●

Toc! Toc! Toc!
— Qui est là ?
— C.
— C qui ?
— C'est le facteur.

•

Toc! Toc! Toc!
— Qui est là ?
— Samson.
— Samson qui ?
— Samson bateau, il ne peut pêcher.

•

Au restaurant :
— Garçon !
— Oui, Madame. Que puis-je vous servir ?
— Je voudrais des fautes d'orthographe.
— Mais nous ne servons pas de ça ici !
— Ah oui ? Alors pourquoi en avez-vous sur le menu ?

•

À la cafétéria :

— Ah non ! pas encore des sandwichs au thon, s'exclame Anita. J'en ai plein le dos des sandwichs au thon. Si j'ai encore la même chose demain, je vous avertis, je jette mon lunch à la poubelle.

— Mais, Anita, pourquoi n'en parles-tu pas à tes parents, je suis sûre qu'ils pourraient comprendre.

— Non, ça ne servirait à rien, c'est moi qui fais mon lunch.

•

Au restaurant :

— Garçon, dit le client, je tiens à vous féliciter sincèrement pour la propreté de la cuisine.

— Mais comment pouvez-vous dire ça ? L'avez-vous visitée ?

— Non, mais je suis sûr qu'elle doit être très propre parce que mon repas a un fort goût de savon !

•

Au restaurant :

— Garçon !

— Oui, Monsieur ?

— Il y a une mouche dans ma soupe.

— Chut ! Ne le dites pas trop fort, il n'y en a pas pour tout le monde !

●

Yan revient de sa partie de hockey.

— Papa ! J'ai compté 4 buts !

— Wow ! Bravo ! Vous avez sûrement gagné haut la main !

— Euh... pas vraiment. J'ai lancé dans mon filet...

●

Au restaurant :

— Garçon ! Qu'est-ce que cette mouche fait dans ma soupe ?

— On dirait qu'elle est en train d'essayer de sortir, Monsieur !

●

— Tu ne manges pas beaucoup aujourd'hui.

— Bof... J'ai perdu l'appétit.

— Es-tu allé voir aux objets perdus?

•

Pendant un match de boxe:

— Vas-y Paul, dans les dents! dit un spectateur.

— Vous avez parié sur Paul? demande son voisin.

— Mais non, je suis le dentiste de Jean-Jacques, son adversaire!

•

Un chien entre dans un restaurant et demande un café. Puis, il tend un billet de 10 dollars au serveur. Le serveur, étonné, remet juste un dollar au chien, convaincu qu'il ne sait pas compter.

— Je ne savais pas que les chiens aimaient le café! lui dit le serveur. C'est la première fois qu'un chien entre ici pour boire.

Le chien répond :

— Et c'est sûrement la dernière, si le café coûte neuf dollars !

•

Au restaurant :

— Le steak est dur comme du béton !

— C'est normal, c'est le plat de résistance !

•

Un loup et un mouton entrent au restaurant et s'installent à une table.

— Bonjour, dit le serveur. Qu'est-ce que je peux vous servir ?

— Je vais prendre un bol de foin et une petite assiette de trèfle, répond le mouton.

— Très bien. Et pour votre ami ?

— Il ne prend rien.

— Il n'a pas faim ? demande le serveur, surpris.

— Pensez-vous vraiment que je serais avec lui s'il avait faim ?

•

— Garçon ! Une mouche est en train de se noyer dans ma soupe !

— Et alors ? Vous voudriez peut-être que je lui fasse la respiration artificielle ?

●

Dans un restaurant, une araignée a tissé sa toile sur la pile d'assiettes et appelle une mouche :

— Viens sur ma toile, je vais t'apprendre à tisser.

— Non merci, je préfère filer !

●

Au restaurant :

— Garçon ! Il y a une mouche dans ma soupe !

— Bof, ce n'est pas très grave, Madame. Regardez la belle araignée sur votre pomme de terre, elle va s'en occuper.

●

Au restaurant :

— Garçon, pouvez-vous m'apporter un verre d'eau, s'il vous plaît ?

— Bien sûr, Monsieur. C'est pour boire ?

— Non, c'est pour m'entraîner à la nage synchronisée...

●

Dans un petit café :

— Mademoiselle, demande un client, vous arrive-t-il parfois de laver les toilettes du restaurant ?

— Mais oui, Monsieur, tous les jours.

— Ouais, alors lavez-vous les mains et faites-moi un sandwich.

●

Au restaurant :

— Garçon ! Il y a une mouche dans ma soupe !

— Et puis, votre mère ne vous a jamais appris à partager ?

●

Au restaurant :

— J'aimerais un sandwich aux fourmis sur pain pita.

— Mais, Monsieur, on n'a jamais servi ça ici !

— Ah bon ! Alors donnez-moi mon sandwich aux fourmis sur du pain blanc !

•

Au restaurant :

— Est-ce que vous servez des nouilles ici ? demande le client.

— Bien sûr, Monsieur, asseyez-vous, on sert tout le monde, les nouilles aussi !

•

Un homme se rend chez son concessionnaire automobile.

— Quand vous m'avez vendu ma voiture, vous m'avez bien dit que vous remplaceriez les pièces brisées pendant les deux premières années ?

— Oui Monsieur, répond le vendeur.

— Alors, prenez un crayon, je vais vous donner l'adresse du magasin de porcelaine dont j'ai défoncé la vitrine !

•

Au restaurant :

— Comment avez-vous trouvé le steak, Madame ? demande le serveur.

— Complètement par hasard, sous les pommes de terre et les carottes !

•

Deux gros costauds vont s'asseoir de chaque côté d'Alexandre, à la table du restaurant.

— Es-tu imbécile ? lui demande un des costauds.

— Es-tu crétin ? lui demande l'autre.

— Eh bien ! répond Alexandre, très calme, je crois bien que je suis entre les deux !

•

— Tantôt, au restaurant, je t'ai vu payer l'addition avec un beau sourire. Pourtant, ça t'a coûté cher!

— Je sais, mais à la caisse, c'était écrit : argent comptant seulement.

●

Au restaurant :

— Monsieur, votre pizza, vous voulez qu'on la coupe en quatre ou en huit pointes?

— Oh, en quatre! Je n'ai vraiment pas assez faim pour en manger huit!

●

Au restaurant :

— Mademoiselle, je viens de trouver une abeille dans mon verre. C'est absolument scandaleux!

— Quoi? Pour ce prix, j'espère que vous ne vous attendiez pas à trouver une ruche!

●

— Que mangent les requins qui vont souper dans un restaurant très chic ?

— Je ne sais pas.

— Des cuisses d'homme-grenouille !

•

— Docteur, j'ai les jambes lourdes, se plaint un détenu au médecin de l'administration pénitentiaire.

— Normal, avec les boulets que vous traînez !

•

Au restaurant, une dame s'adresse au Monsieur assis à la table à côté de la sienne :

— Monsieur, je crois que votre fille est en train de renverser du ketchup sur mon manteau.

— Je m'excuse, Madame, mais ce n'est pas ma fille. C'est ma nièce. Ma fille, elle, je crois qu'elle est justement en train de vider votre sac à main.

•

Au restaurant :

— Monsieur, dit la cliente, je ne peux pas manger cette soupe.

— Le serveur, très correct, prend sa soupe et revient avec un autre bol tout chaud.

— La cliente lui dit une autre fois :

— Monsieur, je ne peux pas manger cette soupe.

— Le serveur commence à s'impatienter, mais lui sert quand même une autre soupe. Mais voilà que la cliente élève le ton :

— Monsieur, je ne peux pas manger cette soupe.

— Cette fois, le serveur éclate :

— Vraiment, Madame, il y a des limites ! C'est le troisième bol de soupe que je vous sers et vous n'êtes pas encore satisfaite ? Mais qu'est-ce qu'elle a de si terrible, cette soupe ?

— La soupe est sûrement très bonne. Mais si je vous dis que je ne peux pas la manger, c'est parce que vous ne m'avez pas donné de cuillère !

●

Dans un restaurant, une petite araignée demande à sa mère :

— Maman, qu'est-ce qu'on mange pour dessert ce soir ?

— Une mouche au chocolat.

•

— Garçon ! Que fait cette mouche dans ma soupe ?

— Oh ! On dirait qu'elle essaie de rejoindre le bord de l'assiette en nageant sur le dos !

•

Une cigale, une fourmi et un mille-pattes se donnent rendez-vous au restaurant. La cigale et la fourmi attendent depuis bientôt une heure. Enfin, elles voient leur ami mille-pattes arriver, tout essoufflé.

— Mais où étais-tu ? lui demande la fourmi.

— Il y a une pancarte à la porte : Essuyez vos pieds S.V.P. !

•

Au restaurant :

— Garçon ! Je vous prie de bien vouloir enlever cette mouche qui nage dans mon bol de soupe. Je veux souper seul, ce soir.

●

Au restaurant :

— Je voudrais avoir deux sandwichs au jambon, dont un sans moutarde.

— Lequel ?

●

Pauline et Rosanne sont au restaurant. Le serveur dépose sur leur table deux morceaux de gâteau : un gros et un petit. Pauline dit à sa copine :

— Vas-y, sers-toi. Rosanne donne le petit morceau à Pauline et garde le gros pour elle.

— Franchement, lui dit Pauline, tu es pas mal impolie !

— Pourquoi ?

— Tu prends le gros morceau et tu me laisses le petit !

— Et toi, qu'est-ce que tu aurais fait à ma place ?

— J'aurais pris le petit et je t'aurais donné le gros.

— Mais de quoi tu te plains ? Tu l'as ton petit morceau !

●

Au restaurant :

— Garçon ! Il y a une mouche dans ma soupe !

— Ne vous inquiétez pas, Monsieur, je ne vous ferai rien payer de plus !

●

Le serveur du restaurant : Je regrette, Monsieur, le billet de 20 dollars avec lequel vous avez payé votre repas n'est pas bon.

— Le client : C'est pour aller avec le repas, lui non plus n'était pas bon.

●

Au restaurant :

— Garçon, avez-vous des cure-dents ?

— Non, Monsieur. Mais je peux vous servir un sandwich au cactus.

●

Au restaurant :

— Garçon, est-ce que vos olives ont des pattes ?

— Non, Monsieur !

— Alors je viens de manger une coquerelle...

●

Monsieur Lavoie est en vacances aux États-Unis, mais il ne parle pas anglais. Au restaurant, la seule chose qu'il peut dire, c'est « *beans* ». Il commence à en avoir assez ! Il rencontre un touriste qui lui apprend à commander du jambon et des œufs en disant « ham and eggs ». Le lendemain, tout content, Monsieur Lavoie entre au restaurant.

La serveuse lui demande ce qu'il veut et il répond :

— Ham... ham... voyons ? Ah ! hamène-moi donc des *beans* !

•

— Le client : Garçon, votre soupe aux pois a un goût de savon.

— Le serveur : Excusez-moi, Monsieur, j'aurais dû vous dire que l'on vous a servi une soupe à l'oignon, parce que notre soupe aux pois a un goût de gaz.

•

Au restaurant :

— Garçon ! Pouvez-vous m'apporter un autre carré de sucre, s'il vous plaît ?

— Mais, Monsieur, c'est que je vous en ai déjà apporté huit...

— Ce n'est pas ma faute ! Ils ont tous fondu !

•

Monsieur Machin : Je suis allé à la chasse en fin de semaine.

— Monsieur Chose : As-tu pris quelque chose ?

— Monsieur Machin : Oui, le train, pour y aller et pour revenir

●

Au restaurant :

— Garçon, il y a un maringouin dans ma soupe !

— Oh ! Je suis désolé, Monsieur, mais toutes les mouches sont déjà prises !

●

Dans un restaurant archiplein, un client fait des signes au serveur.

— Vous savez, ça fait quatre ans que je suis client ici.

— Monsieur, je suis désolé, je travaille pourtant aussi vite que je peux !

●

— Garçon, il y a une mouche dans ma soupe!

— Ce doit être la viande avariée qui l'attire.

•

— Garçon! Il y a une mouche dans ma soupe.

— Oups! Je vous envoie une araignée tout de suite!

•

À la foire, un monsieur voit une pancarte qui dit «Gagnez 500 $ si vous réussissez à faire dire oui et non à mon cheval.» Le monsieur s'approche du cheval. Le propriétaire voit son cheval faire oui et non de la tête.

— Comment avez-vous fait?

— Je lui ai donné un grand coup de pied et lui ai demandé s'il voulait que j'arrête. Il a dit oui. Je lui ai demandé ensuite s'il avait aimé ça. Il a dit non!

•

Au restaurant :

— Garçon, que fait cette mouche dans ma soupe ?

— Euh... on dirait bien qu'elle apprend à nager, Monsieur.

●

Le serveur du restaurant décrit le menu au client : J'ai des pattes de cochon, une langue de bœuf, un foie de poulet et des doigts de dame.

— Le client : Pauvre vous ! Ça doit aller mal pour travailler !

●

Au restaurant :

— Garçon ! mon homard n'a qu'une pince !

— Je suis désolé, cher monsieur, il a dû se battre dans l'aquarium.

— Ah bon ? Alors apportez-moi donc le vainqueur !

●

— Le client : Y a-t-il de la soupe sur le menu ?

— Le serveur : Il y en avait, mais je l'ai essuyée !

•

Au restaurant :

— Garçon ! Je n'ai réussi à trouver aucun fruit de mer dans ma soupe aux fruits de mer ! Vous trouvez ça normal ?

— Écoutez, Monsieur, si je vous donne un gâteau des anges, allez-vous me demander où sont les anges ?

•

Au restaurant :

— Garçon !

— Oui, Monsieur.

— Est-ce que vos raisins ont des pattes ?

— Mais non, Monsieur !

— Oups ! Je viens d'avaler une araignée !

•

Au restaurant :

— Alors, ça vient, ce potage maison ?

— Tout de suite, Monsieur, je cherche l'ouvre-boîte !

●

Au restaurant :

— Garçon ! Ce plat est absolument infect ! Il est hors de question que je le mange ! Allez donc me chercher le patron tout de suite !

— Écoutez, Monsieur, je vais aller le chercher si vous voulez, mais je suis sûr que lui non plus ne voudra pas le manger !

●

Un touriste, visitant New York, s'arrête devant un restaurant et lit sur l'affiche, dans la vitrine : « Notre chef peut vous préparer n'importe quel plat de votre choix. » Il entre et demande au serveur un sandwich à la viande de kangourou.

Cinq minutes plus tard, le serveur revient: Je suis désolé, Monsieur, de ne pouvoir satisfaire à votre demande. Nous avons de la viande de kangourou, mais nous manquons de pain.

•

Le client: Avez-vous des cuisses de grenouille?

— Le serveur: Oui, Monsieur.

— Le client: Alors, bondissez dans la cuisine et allez me chercher un sandwich au jambon.

•

Annie: La semaine dernière, à la campagne, on a visité une ferme d'élevage de vers de terre. Et, le même soir, on a soupé au restaurant près de la ferme. Eh bien, sais-tu ce que j'ai trouvé dans ma salade?

— Thomas: Non...

— Annie: De la laitue, comme d'habitude!

•

— Le client : Ces chiens chauds ont l'air dégueulasse.

— Le serveur : Je n'y peux rien, Monsieur, je ne suis que garçon de table, pas vétérinaire.

●

Au restaurant :

— Garçon ! Il y a un petit moustique dans ma soupe !

— Je suis désolé, Monsieur. Juste un petit instant et je vous en apporte un plus gros !

●

L'inspecteur de restaurants : Qu'est-ce que c'est que tous ces moustiques qu'on a trouvés dans votre cuisine ?

— Le patron : Euh... ça, c'est parce qu'on fait aussi de l'élevage pour l'Insectarium.

●

Dans un restaurant ultra-chic :

— Que désirez-vous ? demande le serveur.

— Hum, je ne sais pas trop quoi prendre. J'hésite entre les pommes de terre dauphinoises, le maïs dans sa sauce crémeuse et le bifteck en grumeaux.

— Cher monsieur, si j'étais à votre place, je commanderais le pâté chinois, ce serait pas mal moins compliqué !

•

Au restaurant, un homme commande un hot-dog.

— Ce sera long ? demande-t-il.

— Environ six pouces, répond la serveuse.

•

Au restaurant :

— Garçon, pouvez-vous mettre mon repas sur ma carte de crédit ?

— Monsieur, je suis désolé, mais je

ne pense pas qu'il y ait assez de place...

●

Un personnage directement arrivé de l'espace se rend au restaurant. La serveuse lui parle du menu du jour et des plats qui restent de la veille. Quand elle lui demande ce qu'il aime, il lui répond :
— Ils sont extra, tes restes !

●

Au restaurant :
— Garçon, il y a une coccinelle dans ma soupe !
— Ah, ça alors, vous êtes chanceux ! D'habitude, ce sont toujours des mouches !

●

Marie-Christine : Connais-tu l'histoire de la petite fille qui était dans la salle de bain ?

— Camille : Non.

— Marie-Christine : Moi non plus, la porte était barrée.

●

Au restaurant, un serveur voit arriver deux cochons.

— Euh ! Bonjour ! Vous venez manger ?

— Oui. Vous n'auriez pas une petite table à porc ?

●

Deux hommes qui ne parlent pas anglais se retrouvent dans un restaurant aux États-Unis. Au hasard, ils commandent des hot-dogs. En sortant du restaurant, ils consultent leur dictionnaire qui dit : chien chaud.

— Dis donc, toi, demande un des deux hommes à son copain, quelle partie du chien ils t'ont servie ?

●

En revenant de la patinoire, par une froide soirée d'hiver, Martine arrête au restaurant du coin.

— Un café, s'il vous plaît.

— Combien de sucre et de lait ?

— Ah, ce ne sera pas nécessaire, c'est pour mes orteils !

•

Mathieu va visiter le Texas, où tout est plus gros qu'ailleurs. Au restaurant, il commande un verre de jus. Le serveur lui apporte un tonneau de jus.

— J'avais juste demandé un verre ! Ensuite, il demande un paquet de gomme. Le serveur lui remet une caisse pleine de gommes à mâcher.

— J'avais juste demandé un paquet ! Puis, il demande où se trouve la salle de bains.

— Au fond du couloir, dernière porte à gauche, lui répond le serveur. Mathieu se trompe de porte et tombe dans la piscine. Il se dépêche de crier :

— Ne tirez pas la chaîne !

•

Un monsieur est assis sur un banc dans un parc. Depuis au moins quinze minutes, un jeune garçon est planté devant lui et le regarde. Le monsieur commence à s'énerver un peu.

— Mais qu'est-ce que tu fais là? demande-t-il au garçon.

— J'attends.

— Tu attends quoi?

— J'attends que vous vous leviez.

— Que je me lève! Pourquoi?

— Parce que tantôt, les employés de la ville sont venus repeindre le banc. Et je veux voir l'effet...

•

Deux collègues de bureau bavardent:

— Votre femme elle est blonde ou brune?

— Je ne sais pas, elle est chez le coiffeur ce matin!

•

Au restaurant :

— Comment as-tu trouvé ton poulet ?

— En cherchant sous le riz !

•

Au restaurant :

— Garçon ! Ça fait une demi-heure que j'attends !

— Cher Monsieur, si vous étiez aussi pressé, pourquoi avez-vous commandé une soupe à la tortue ?

•

Au restaurant :

— Dites-moi donc, garçon, est-ce que vous cuisez les aliments sur une cuisinière au bois ?

— Non, Monsieur. Nous avons une cuisinière électrique !

— Alors, vous devriez peut-être donner un autre petit choc à mon poulet !

•

Au restaurant :

— Mais faites attention ! Vous venez de renverser de la soupe sur mon chandail !

— Ne vous en faites pas, Madame ! Il en reste encore beaucoup dans la cuisine !

●

Au restaurant :

— Garçon ! Il n'est pas question que je mange ce qu'il y a dans cette assiette ! C'est absolument dégoûtant !

— Mais, Monsieur ! C'est pourtant le plat du jour !

— Ah oui ? Et ce jour-là, il date de combien de semaines ?

●

— As-tu entendu dire qu'un restaurant venait d'ouvrir sur la Lune ?

— Non. C'est comment ?

— Très bonne nourriture, mais pas d'atmosphère !

●

Au restaurant :

— Je vais prendre une poitrine de poulet sans frites, s'il vous plaît.

— Je suis désolé, Monsieur, il ne reste plus de frites. Est-ce que je peux vous servir une poitrine de poulet sans purée de pommes de terre ?

•

Au restaurant :

— Mademoiselle ! Il y a une araignée dans ma crème glacée !

— Tant pis pour elle ! Elle va geler. Elle n'avait qu'à faire attention !

•

Au restaurant :

— Alors, garçon, les glaçons que je vous ai demandés, vous me les apportez ?

— C'est que je les ai rincés à l'eau chaude, et je ne les trouve plus...

•

Au restaurant :

— Garçon ! Il y a une mouche dans ma soupe !

— Eh bien, c'est sans doute une mouche qui a beaucoup de goût !

●

Sébastien entre au restaurant du coin et trouve son ami Jonathan attablé devant une pizza extra grande.

— Tu vas manger ça tout seul ? s'exclame Sébastien.

— Mais non, voyons ! J'ai aussi commandé un verre de boisson gazeuse !

●

Au restaurant :

— Garçon ! Il y a une mouche dans ma soupe !

— Du calme, Madame ! Ne criez pas si fort, vous voyez bien qu'elle est morte !

●

— As-tu entendu parler du nouveau restaurant qui a un menu régime pour perdre du poids ?

— Non, qu'est-ce que c'est ?

— Tu manges autant d'insectes et d'araignées que tu veux.

— Ouache ! Je suis sûre que je serais incapable d'avaler une seule araignée ou un seul insecte !

— Tu vois ? Le régime ne peut pas rater, c'est garanti !

•

Le journaliste demande au boxeur «poids super lourd» :

— Quel a été votre poids le plus élevé ?

— 160 kg.

— Et votre poids minimum ?

— C'est vraisemblablement à ma naissance. Selon ma mère, je pesais 3,9 kg.

•

Au restaurant :

— Avez-vous des cuisses de grenouille ? demande la cliente.

— Oui, Madame, répond le serveur.

— Pauvre vous ! Si vous portez toujours des pantalons, personne ne devrait s'en apercevoir !

•

Au restaurant :

— Que désirez-vous, Monsieur ?

— Je vais prendre du poulet.

— Très bien, ce ne sera pas long.

Quelques minutes plus tard, la serveuse revient.

— Voici votre poule, le lait s'en vient !

•

— Garçon, il y a une mouche dans ma soupe !

— Pas de problème, je vous apporte tout de suite une fourchette !

•

Monsieur Paquette part travailler le matin. Sa femme lui dit :

— Regarde le ciel, chéri. Je crois qu'il va pleuvoir aujourd'hui. Tu devrais apporter ton parapluie.

— Tu as raison. J'en prends trois.

— Comment ça ?

— Un que je vais oublier dans le métro, l'autre que je vais oublier au restaurant à midi et le dernier pour rentrer à la maison !

•

Au restaurant du village cannibale, le chef cuisinier lève le couvercle du chaudron et demande à l'homme qui mijote :

— Quel est votre nom, s'il vous plaît, Monsieur ?

— Martin Dufresne. Pourquoi me demandez-vous ça ?

— C'est pour le menu !

•

Au restaurant, Madame Jasmin attend depuis 15 minutes d'être servie.

— Garçon! Avez-vous oublié ma commande?

— Non, non, Madame! C'est vous la truite aux fines herbes?

•

Dans un restaurant, deux mouffettes entrent, s'assoient à une table et commandent deux sandwichs aux œufs. Le serveur, qui travaille à cet endroit depuis fort longtemps, n'en revient tout simplement pas. Il les sert, puis quand vient le temps de leur présenter l'addition, il leur dit, incapable de se retenir :

— Je suis tellement surpris, c'est la première fois que je vois deux mouffettes dans mon restaurant.

— Cher monsieur, au prix que vous vendez vos sandwichs aux œufs, c'est sûrement la dernière.

•

Au restaurant :

— Garçon ! Pouvez-vous m'expliquer ce que font toutes ces mouches dans ma soupe ?

— Je crois, Monsieur, que c'est l'heure de leur cours de natation...

●

Dans un restaurant, Gisèle commande un café. Elle dit au serveur :

— Excusez-moi, mais vous ne m'avez pas apporté de petite cuillère. Je vois mal comment je pourrais brasser mon café bouillant avec mon doigt.

— Je suis désolé, Madame. Je m'en occupe tout de suite. Puis, il revient avec un autre café.

— Voilà ! celui-ci est tiède, vous ne vous brûlerez pas le doigt.

●

Marie-Chantal a été invitée à une réception dans un grand restaurant. Son amie Charlotte l'assaille de questions :

— Alors, c'était comment ?

— Royal.

— Il devait y avoir de belles toilettes !

— Je ne sais pas, ma chère, je n'y suis pas allée !

●

Chez le médecin :

— Docteur, je ne vois que du noir ! Tout est noir ! Partout, il n'y a que du noir !

— Calmez-vous, Monsieur. Et commencez donc par ouvrir les yeux !

●

Au restaurant, le client consulte la carte et appelle le serveur :

— Je vois, dans les « spécialités maison » : poulet à la Mercedes... Qu'est-ce que c'est exactement ?

— Un volatile que le patron a écrasé ce matin !

●

— Quelle heure est-il quand les olives se mettent à marcher dans ton assiette?

— Je ne sais pas.

— L'heure de changer de restaurant.

●

Au restaurant:

— Garçon, il y a une mouche dans ma soupe.

— Ne vous inquiétez pas, l'araignée qui se cache dans votre salade va s'en occuper.

●

Deux millionnaires magasinent ensemble. Ils décident de s'acheter chacun une petite auto sport. Un la prend rouge, l'autre noire. Le vendeur leur dit:

— C'est 50 000 $ par voiture. Les deux hommes sortent leur carte de crédit.

— Ah non, dit l'un d'eux. Tu as payé le repas au restaurant, c'est à mon tour maintenant.

•

Un client appelle le serveur :
— Et bien, garçon, mon andouille n'arrive pas vite !
— Je ne pouvais pas savoir que Monsieur attendait quelqu'un !

•

Au restaurant :
— Garçon, dites à votre patron que je veux le voir.
— Pour quelle raison, Monsieur ?
— Je tiens à lui remettre le premier prix de propreté pour son restaurant.
— C'est fantastique, Monsieur. Je vais aller le chercher tout de suite. Mais vous n'avez même pas visité la cuisine !
— Ce ne sera pas nécessaire. Tout ce que j'ai mangé goûtait le savon.

•

Au restaurant :

— Garçon ! Il y a une araignée dans ma soupe.

— Bizarre, d'habitude ce sont des mouches.

●

Au restaurant :

— Garçon ! Il y a une mouche morte dans ma soupe.

— Et quoi ? Vous auriez préféré qu'elle soit vivante ?

●

Le serveur apporte à un client une assiette contenant l'escalope qu'il a commandée.

— Garçon, c'est un scandale !

— Quoi, il y a une mouche sur votre escalope ?

— Non. Mais vous la teniez avec votre pouce dans le plat.

— Il faut bien ! Vous auriez aimé qu'elle tombe par terre une deuxième fois ?

●

Un homme, dans un restaurant :

— Garçon, il y a une mouche dans ma soupe !

— Le serveur : Soyez patient, Monsieur. Dans dix minutes, elle va se noyer...

•

— Garçon, il y a une mouche dans ma soupe !

— Mais voyons, Monsieur, je ne vois qu'un bol vide, dans lequel il y a une mouche.

— C'est vrai, je vous jure ! Elle a dû la manger quand je me suis retourné...

•

— Garçon, il y a une mouche dans ma soupe !

— Mais il n'y a aucune mouche dans cette soupe...

— Vous en êtes sûr ? Ça doit être pour cela que j'ai un petit bout d'aile pris entre deux dents.

•

— Garçon, il y a une mouche dans ma soupe aux légumes!

— Que Monsieur se rassure, ce n'est pas une mouche, pouah, comment pouvez-vous imaginer une telle horreur! C'est simplement le cuisinier qui s'est mouché dans votre potage.

— Ouf! Si ça avait été un insecte, ça m'aurait coupé l'appétit!

•

— Je m'en vais visiter ma grand-mère à Vancouver mais je ne sais pas comment y aller.

— Prends l'avion!

— Tu es fou! J'ai bien trop peur de l'avion!

— Prends le train, alors!

— Le train, c'est aussi dangereux!

— Voyons donc! Qu'est-ce qui est si dangereux en train?

— Un avion pourrait s'écraser et tomber dessus!

•

Un client dans un restaurant appelle le garçon :

— Ah, non ! Garçon, remportez-moi cette langue de veau. Ce qui sort de la bouche me dégoûte. Tenez... Donnez-moi plutôt un œuf.

•

Monsieur, dit le client en quittant l'hôtel, c'est la dernière fois que je mets les pieds dans votre établissement !

— Mais qu'est-ce qui n'allait pas ? demande l'hôtelier.

— Bien, il n'y avait jamais de papier au petit endroit...

— Mais enfin, Monsieur, c'est une défaillance de notre part. Le client peut toujours réclamer. Vous avez bien une langue tout de même ?

— J'ai une langue, mais je ne suis pas contorsionniste !

•

Une tomate et une patate vont au restaurant. La tomate demande une toast au pain brun et la patate, une au pain blanc. Ils reçoivent leur déjeuner et la patate dit :

— Hé, tomatos ! (t'as ma toast)

— Et la tomate répond :

— Oh non, potatos ! (pas ta toast)

•

— Garçon, il n'y a pas de mouche dans ma soupe.

— C'est normal, vous n'avez pas de soupe.

•

À la fin du repas, un client s'approche du gérant du restaurant et lui dit :

— Monsieur, embrassez-moi !

— Mais, Monsieur, lui répondit le gérant fort surpris, qu'est-ce qui vous prend ?

— Alors, serrez-moi la main ! poursuivit le client.

— Mais, Monsieur, ajouta le gérant en lui serrant la main, dois-je conclure que Monsieur a été satisfait du dîner ?

— Pas exactement, répondit le client. Je tiens seulement à vous faire mes adieux parce que vous ne me verrez plus dans votre restaurant.

•

Garçon, que fait cette mouche dans ma soupe !

— Hmmm... Du dos crawlé, il me semble, Monsieur.

•

C'est un gars qui entre dans un restaurant et demande à parler au chef. Le chef arrive et le type lui demande :

— Vous servez les escargots ?

— Oui, bien sûr ! répond le chef.

— Alors pour moi, ce sera une frite, et pour mon escargot, ce sera une feuille de salade.

•

Un client appelle le serveur :

— Il y a une mouche qui se noie dans ma soupe !

— Le chef a encore servi trop de soupe ! D'habitude, elles peuvent marcher au fond de l'assiette.

•

— Garçon, il y a un asticot dans ma soupe !

— Un peu de patience, Monsieur, et ce sera bientôt une mouche.

•

— Garçon, il y a une mouche dans ma soupe aux légumes !

— Alors, hum… supplément de viande… C'est 10 $ en plus, Monsieur.

•

Un jeune homme postule un poste de préposé au vestiaire dans un grand restaurant. Il est très nerveux, mais tente de le cacher le plus possible. Le gérant dit :

— Bonjour, Monsieur, quel âge avez-vous ? Il compte sur ses doigts et finit par répondre :

— dix-sept ans, Monsieur.

— Quelle est votre grandeur ? Le jeune homme prend la règle sur le bureau, tente de se mesurer et dit :

— cent soixante quinze cm, Monsieur.

— Maintenant, pourriez-vous me dire votre prénom, dit le gérant ? Le jeune homme commence alors à bouger la tête de gauche à droite et de droite à gauche pendant une dizaine de secondes et répond :

— Claude.

— Écoutez, dit le gérant. Je peux comprendre que vous comptiez sur vos doigts pour connaître votre âge, que vous ayez besoin d'une règle pour connaître votre taille, mais qu'est-ce que vous faisiez avant de me donner votre prénom ?

— C'était juste pour me rappeler les paroles de la chanson. Vous savez, bonne fête, bonne fête, bonne fête Claude...

•

Au restaurant, une serveuse au long cou sert un client.

— Merci beaucoup, dit-il poliment.

— De rien, belles oreilles, répond la serveuse insultée.

•

— Garçon, le pigeon que vous m'avez servi n'est pas frais, s'indigne un client dans un restaurant.

— Mais comment pouvez-vous l'affirmer, Monsieur?

— Regardez vous-même. J'ai trouvé un message accroché à sa patte : «Attaquons à l'aube. Signé : Napoléon»

•

Un serveur du restaurant dit à un client :

— Comment pouvez-vous dire que le service est mauvais, Monsieur? Je ne vous ai encore rien servi!

•

Toc! Toc! Toc!
— Qui est là?
— Quelqu'un qui?
— Quelqu'un qui ne peut atteindre la sonnette!

•

Toc! Toc! Toc!
— Qui est là?
— Pierre.
— Pierre qui?
— Pierre qui roule n'amasse pas mousse!

•

Toc! Toc! Toc!
— Qui est là?
— Sara.
— Sara qui?
— Sara lentit!

•

Toc! Toc! Toc!
— Qui est là?

— Riz.
— Riz qui ?
— Riz ra bien qui rira le dernier !

•

Toc ! Toc ! Toc !
— Qui est là ?
— C.
— C qui ?
— C les vacances qui commencent !

•

Toc ! Toc ! Toc !
— Qui est là ?
— La bine.
— La bine qui ?
— La bine fait pas le moine !

•

Toc ! Toc ! Toc !
— Qui est là ?
— Lace.
— Lace qui ?
— Lace igale et la fourmi !

•

Toc! Toc! Toc!
— Qui est là?
— Alain.
— Alain qui?
— Alain térieur!

●

Toc! Toc! Toc!
— Qui est là?
— Cheveu.
— Cheveu qui?
— Cheveu un cornet de crème glacée!

●

Toc! Toc! Toc!
— Qui est là?
— Maman.
— Maman qui?
— Maman n'aller si tu continues à m'énerver!

●

Toc! Toc! Toc!
— Qui est là?
— Tom.
— Tom qui?
— Tomate!

•

Toc! Toc! Toc!
— Qui est là?
— Le con.
— Le con qui?
— Le confident du roi!

•

Toc! Toc! Toc!
— Qui est là?
— L'épée.
— L'épée qui?
— L'épée tard à mèche!

•

Toc! Toc! Toc!
— Qui est là?
— L'air.

— L'air qui ?
— L'air heure est humaine !

●

Toc ! Toc ! Toc !
— Qui est là ?
— Maman.
— Maman qui ?
— Quoi, tu ne reconnais pas ta propre mère ?

●

Toc ! Toc ! Toc !
— Qui est là ?
— L'impôt.
— L'impôt qui ?
— L'impôt rtant c'est la rose !

●

Toc ! Toc ! Toc !
— Qui est là ?
— Tasse.
— Tasse qui ?
— Tasse-toi, tu m'empêches de passer !

●

Toc! Toc! Toc!
— Qui est là?
— Épate.
— Épate qui?
— Épate tati et patata!

•

Toc! Toc! Toc!
— Qui est là?
— Kiss.
— Kiss qui?
— Kiss ressemble s'assemble!

•

Toc! Toc! Toc!
— Qui est là?
— Jos.
— Jos qui?
— Jos Louis!

•

Toc! Toc! Toc!
— Qui est là?
— G.

— G qui ?
— G hâte à ma fête !

•

Toc ! Toc ! Toc !
— Qui est là ?
— Mi.
— Mi qui ?
— Mi eux vaut tard que jamais !

•

Toc ! Toc ! Toc !
— Qui est là ?
— H.
— H qui ?
— H èves-tu de faire tes devoirs ?

•

Toc ! Toc ! Toc !
— Qui est là ?
— Lison.
— Lison qui ?
— Lison tous ensemble !

•

Toc! Toc! Toc!
— Qui est là?
— Cara.
— Cara qui?
— Caramel.

•

Toc! Toc! Toc!
— Qui est là?
— Coq.
— Coq qui?
— Coq-luche.

•

Toc! Toc! Toc!
— Qui est là?
— G K C.
— G K C qui?
— G K C la vitre avec ma balle.

•

Toc! Toc! Toc!
— Qui est là?
— Nova.

— Nova qui ?
— Nova cances s'en viennent.

•

Toc! Toc! Toc!
— Qui est là ?
— Lapin.
— Lapin qui ?
— Lapindicite.

•

Toc! Toc! Toc!
— Qui est là ?
— L'abbé.
— L'abbé qui ?
— L'abbé gnoire.

•

Toc! Toc! Toc!
— Qui est là ?
— M.
— M qui ?
— M tu la musique comme moi ?

•

Toc ! Toc ! Toc !
— Qui est là ?
— Jean.
— Jean qui ?
— Jean ai assez !

•

Toc ! Toc ! Toc !
— Qui est là ?
— Caisse.
— Caisse qui ?
— Caisse tu fais là ?

•

Toc ! Toc ! Toc !
— Qui est là ?
— C.G.
— C.G. qui ?
— C G nial !

•

Toc ! Toc ! Toc !
— Qui est là ?
— Nouille.

— Nouille qui?
— Nouille York.

•

Toc! Toc! Toc!
— Qui est là?
— Elsa.
— Elsa qui?
— Esa muse quand elle va au cirque.

•

Toc! Toc! Toc!
— Qui est là?
— Poulet.
— Poulet qui?
— Poulet-tu me dire l'heure?

•

Toc! Toc! Toc!
— Qui est là?
— K-7.
— K-7 qui?
— K-7 de Nintendo.

•

Toc! Toc! Toc!
— Qui est là?
— Marin.
— Marin qui?
— Marin gouin.

●

Toc! Toc! Toc!
— Qui est là?
— Parrain.
— Parrain qui?
— Parrain beau jour d'été, je me suis promené!

●

Toc! Toc! Toc!
— Qui est là?
— Allô!
— Allô qui?
— Allô ween.

●

Toc! Toc! Toc!
— Qui est là?

— Pat.
— Pat qui?
— Patate.

•

Toc! Toc! Toc!
— Qui est là?
— Yvon.
— Yvon qui?
— Yvon finir par attraper la grippe!

•

Toc! Toc! Toc!
— Qui est là?
— O.B.
— O.B. qui?
— O B lix!

•

Toc! Toc! Toc!
— Qui est là?
— Le nouveau.
— Le nouveau qui?
— Le Nouveau-Brunswick!

•

Toc! Toc! Toc!
— Qui est là?
— K. Ré
— K. Ré qui?
— K Ré aux dattes!

•

Toc! Toc! Toc!
— Qui est là?
— Mammi.
— Mammi qui?
— Mammifère!

•

Toc! Toc! Toc!
— Qui est là?
— Le faon.
— Le faon qui?
— *Le faon tôme de l'Opéra!*

•

Toc! Toc! Toc!
— Qui est là?
— Des.

— Des qui?

— Descends donc de là tu vas te faire mal!

•

Toc! Toc! Toc!

— Qui est là?

— Lana.

— Lana qui?

— La natation!

•

Toc! Toc! Toc!

— Qui est là?

— Répète.

— Répète qui?

— D'accord! Qui, qui, qui, qui, qui, qui...

•

Toc! Toc! Toc!

— Qui est là?

— Le chat.

— Le chat de qui?

— Le chat peau de paille de ma grand-mère est beau.

•

Toc! Toc! Toc!
— Qui est là?
— Emma.
— Emma qui?
— Emma dit qu'elle m'aiderait à faire mes devoirs!

•

Toc! Toc! Toc!
— Qui est là?
— C.
— C. qui?
— C lébrons tous ensemble, c'est mon anniversaire.

•

Toc! Toc! Toc!
— Qui est là?
— Samson.
— Samson qui?

— Samson pantalon, il a l'air pas mal fou.

•

Toc! Toc! Toc!
— Qui est là?
— Canton.
— Canton qui?
— Canton veut on peut.

•

Toc! Toc! Toc!
— Qui est là?
— C'est Line.
— C'est Line qui?
— C'est Line Dion.

•

Toc! Toc! Toc!
— Qui est là?
— S.
— S. qui?
— S aie pas de me raconter des blagues.

•

Toc! Toc! Toc!

— Qui est là?

— Geler.

— Geler qui?

— Geler vu, mais je ne dirai pas qui c'est.

•

Toc! Toc! Toc!

— Qui est là?

— Gérard.

— Gérard qui?

— Gérard ment vu un dessin aussi beau que le tien.

•

Toc! Toc! Toc!

— Qui est là?

— Lundi.

— Lundi qui.

— Lundi t'à l'autre, viens-tu jouer chez moi aujourd'hui?

•

Toc! Toc! Toc!
— Qui est là?
— Sandra.
— Sandra qui?
— Sandra, il vaut mieux avoir des couvertures.

•

Toc! Toc! Toc!
— Qui est là?
— Genou.
— Genou qui?
— Genou zai préparé un excellent souper.

•

Toc! Toc! Toc!
— Qui est là?
— Agnès.
— Agnès qui?
— Agnès au lieu de faire ses devoirs.

•

Toc! Toc! Toc!
— Qui est là?
— G.
— G qui?
— G bien envie de te chatouiller!

•

Toc! Toc! Toc!
— Qui est là?
— 16.
— 16 qui?
— 16 de faire le fou.

•

Toc! Toc! Toc!
— Qui est là?
— Le pou.
— Le pou qui?
— Le pou let est bien meilleur quand on le mange avec les doigts.

•

Toc! Toc! Toc!
— Qui est là?

— Anna.
— Anna qui ?
— Anna plein le dos.

•

Toc ! Toc ! Toc !
— Qui est là ?
— Jean.
— Jean qui ?
— Jean ai assez de faire des devoirs.

•

Toc ! Toc ! Toc !
— Qui est là ?
— A. Simon.
— A. Simon qui ?
— A. Simon moine voulait danser !

•

Toc ! Toc ! Toc !
— Qui est là ?
— Emma.
— Emma qui ?

— Emma donné un beau cadeau pour mon anniversaire.

•

Toc! Toc! Toc!
— Qui est là?
— C.
— C qui?
— C toi qui as dit au prof que j'étais un imbécile?

•

Toc! Toc! Toc!
— Qui est là?
— Sarah.
— Sarah qui?
— Sarah lentit.

CONCOURS

Tu dois connaître, toi aussi, de courtes histoires drôles. Alors, pourquoi ne pas nous en faire parvenir quelques-unes?

Parmi celles reçues, certaines seront retenues pour publication et l'auteur(e) de l'histoire drôle recevra une surprise.

Participe le plus vite possible et envoie tes histoires drôles à:

CONCOURS HISTOIRES DRÔLES
Les éditions Héritage inc.
300, rue Arran
Saint-Lambert (Québec)
J4R 1K5

Nous avons hâte de te lire!

À très bientôt donc!

Payette & Simms inc.

Achevé d'imprimer en septembre 2004 sur les presses de
Payette & Simms inc. à Saint-Lambert (Québec)